LES
MORDUS
DE LA
GLACE

DANIEL MARCHILDON

Conception graphique et
mise en pages   : Pierre Luc Bélanger
Illustration de la couverture : Mathieu Hains
Révision linguistique   : Annie Chartrand, Denis Lalonde
Impression   : Centre franco-ontarien de ressources pédagogiques

Le ministère de l'Éducation de l'Ontario a fourni une aide financière pour la réalisation de
ce projet. Cet apport financier ne doit pas pour autant être perçu comme une approbation
ministérielle pour l'utilisation du matériel produit. Cette publication n'engage que l'opinion
de son auteur, laquelle ne représente pas nécessairement celle du Ministère.

© CFORP, 2006
    435, rue Donald, Ottawa ON K1K 4X5
    Commandes : Tél. : 613 747-1553
                Téléc. : 613 747-0866
                Site Web : www.librairieducentre.com
                Courriel : commandes@cforp.on.ca

ISBN 2-89581-359-0
Dépôt légal — quatrième trimestre 2006
Bibliothèque et Archives Canada

Imprimé au Canada  Printed in Canada

Table des matières

Chapitre 1
Ils sont une gang de fous! 5

Chapitre 2
C'est pas de ma faute 11

Chapitre 3
Le patinage artistique, c'est niaiseux, ça 17

Chapitre 4
J'en peux plus! 25

Chapitre 5
Des cours plus que privés 33

Chapitre 6
Il y a juste de la place pour deux 41

Chapitre 7
C'est une insulte au hockey! 47

Chapitre 8
Les vrais mordus de la glace 55

Chapitre 9
Une drôle de proposition 63

Chapitre 10
Garder son calme 71

-1-

Ils sont une gang de fous!

Sylvain Charette attend que l'arbitre siffle avant de se relever. Quelques secondes s'écoulent avant que le garçon de quatorze ans se rende compte que le match continue sans lui. En fait, l'ailier de l'équipe adverse, celui-là même qui l'a fait trébucher, s'est emparé de la rondelle et avance maintenant dans la zone des Castors.

Sylvain bondit alors sur ses patins. Il cherche l'arbitre des yeux. « Il peut pas laisser passer ça! » pense-t-il, incrédule. « C'est évident qu'il m'a mis son bâton entre les jambes. » L'arbitre semble n'avoir rien vu. Il se concentre sur l'action près de la ligne bleue des Castors.

On a rarement vu une partie aussi rude à l'aréna Carmichael de Sudbury. Par moment, on dirait que les joueurs de l'équipe des Dragons s'appliquent davantage à frapper leurs rivaux qu'à chasser la rondelle.

« Cet arbitre est complètement aveugle! se plaint Sylvain. Ça méritait une punition. »

Juste au moment où Sylvain passe devant le banc des Dragons, un des joueurs lui crie des injures à tue-tête et brandit son bâton comme s'il allait le frapper. Épouvanté, Sylvain s'arrête brusquement.

— Hé!

L'agresseur baisse rapidement son bâton et l'arbitre, attiré par le cri, se tourne trop tard pour voir le geste d'intimidation. Enragé, Sylvain patine à toute vitesse vers l'action.

Encore une fois, les Dragons ont profité de son absence pour pénétrer dans la zone des Castors. Trois Dragons contournent les défenseurs et se passent le disque rapidement. L'ailier qui a fait trébucher Sylvain plus tôt reçoit de nouveau la rondelle. Il lance et son tir déjoue le gardien de but des Castors.

Maintenant, les Dragons mènent le match; le compte est de 2 à 1. Avant de reprendre le jeu, les deux équipes changent leur trio.

— Vous avez vu ça, M. Brisebois? demande Sylvain à son entraîneur. Ils sont une gang de fous!

L'entraîneur essaye de maintenir le moral de ses troupes.

— Il ne faut pas perdre notre calme. C'est ça qu'ils veulent.

La partie reprend. Il ne reste que quatre minutes de jeu avant la fin du match. Vu le compte serré, le jeu s'intensifie.

Regroupés dans leur propre zone, les Dragons organisent une nouvelle attaque. Un défenseur envoie la rondelle jusqu'à la ligne bleue où elle est récupérée par un ailier. Mathieu, le frère cadet de Sylvain, étudie le mouvement de l'ailier et anticipe la suite du jeu. Il se faufile juste devant le destinataire du disque. Tout en interceptant la passe, Mathieu se défait de son adversaire en l'écartant avec son bras. L'arbitre, qui a aperçu la manœuvre de Mathieu, hésite une seconde. Le coup de coude mérite-t-il une punition? L'arbitre juge que non et laisse le jeu se poursuivre.

Mathieu file vers le but des Dragons. Il contourne le défenseur et tire au but. Le disque touche le fond du filet. Les Castors jubilent!

— Ce but compte pas!

La voix rauque d'un homme d'une quarantaine d'années résonne dans l'amphithéâtre. Debout, le partisan des Dragons vocifère ses objections :

— Il fallait leur donner une punition!

L'arbitre donne les informations au marqueur et les chiffres changent sur le tableau d'affichage. L'homme, déconcerté, continue à crier en s'avançant vers la patinoire pour attirer l'attention de l'arbitre.

— Je vous ai dit que ça comptait pas.

L'arbitre, qui vient de remarquer l'individu coléreux, l'ignore et signale aux joueurs de se rapprocher pour la mise au jeu. Tout à coup, l'homme enragé enjambe la bande. Il glisse sur la glace vers l'arbitre en proférant des menaces. Un policier intervient rapidement et escorte le parent fâché jusqu'à l'extérieur de l'aréna Carmichael.

Paul arrive au banc des Castors, visiblement ébranlé par l'incident.

« Je pensais qu'il allait battre quelqu'un » déclare-t-il.

Monsieur Brisebois signale à Sylvain de remplacer Paul. L'atmosphère s'allège un peu et le jeu reprend. La rondelle aboutit dans la zone des Castors. Jean-Guy, joueur de défense, essaye d'immobiliser le disque contre la bande. Cependant, un des Dragons vient le plaquer de tout son poids. Le défenseur s'écrase contre la glace.

Le disque glisse dangereusement près du but, mais, très alerte, le gardien de but le dégage vers un coéquipier. Un revirement se produit. Sylvain reçoit la rondelle et avance à toute allure dans la zone des Dragons.

Parvenu à quelques mètres du but, il hésite : tirer ou faire une passe. À quoi s'attend le gardien de but? Il ne reste qu'une minute de jeu avant la fin du match, la décision de Sylvain est cruciale. Le garçon décèle un raidissement dans la posture du gardien.

« Il se prépare pour mon tir » constate Sylvain. Alors, question de surprendre le gardien de but, il choisit de faire une passe à Mathieu. Ce dernier capte la rondelle et la fait dévier dans le filet des Dragons.

— Bravo, Mathieu!

Au banc des Castors, c'est l'euphorie! Les joueurs se lèvent comme un seul homme. La victoire est à portée de main, puisqu'il ne reste maintenant que quelques secondes de jeu.

Du banc des Dragons s'élève, comme un lourd nuage de pluie, un soupir de déception collectif. La partie reprend, mais à peine quelques secondes plus tard, la sirène indiquant la fin du match retentit. Les Castors ont gagné le match!

Monsieur Brisebois et ses joueurs félicitent l'autre équipe pour le bon match qu'ils viennent de jouer. Les Dragons, qui acceptent mal leur défaite, reçoivent toutefois la formule de politesse avec froideur. Au moment où les Castors se dirigent vers le vestiaire, un des joueurs des Dragons vient se planter devant eux. Sylvain reconnaît le joueur qui l'avait menacé avec son bâton au cours du match.

— Vous pensez qu'on vous a malmenés, cette fois? C'était rien! Dans deux semaines, vous allez manger une claque.

Le garçon, grimaçant hideusement, ponctue sa phrase en frappant violemment son bâton contre le banc de bois. Ensuite, il vire d'un seul coup et repart.

Les joueurs des Castors restent éberlués. Finalement, Sylvain, la voix légèrement tremblante, dit tout haut ce que pensent tout bas ses camarades :

« Ils sont vraiment une gang de fous! »

-2-
C'est pas de ma faute

Karine Marinier regarde sa montre et lâche un gros soupir.

— C'est plate que ta mère a dû nous déposer à la patinoire si tôt.

À côté d'elle, son amie, Carole, lui répond tout en continuant à suivre le match de hockey des yeux.

— Au moins, on peut regarder le jeu en attendant notre cours.

Karine enlève sa tuque, exposant ses longs cheveux châtains. Elle la dépose dans le sac à ses pieds, juste à côté de ses patins. Elle a hâte à son cours de patinage artistique car, cette semaine, leur enseignante, madame Martin, doit leur montrer une nouvelle figure.

— Regarde ce garçon-là sur le banc des Castors. Il est pas laid.

En entendant le commentaire de Carole, Karine, curieuse, repère le joueur en question.

— C'est vrai qu'on est un peu loin, dit-elle, mais d'ici il ne me fait pas grand effet. Puis, il a l'air bien énervé.

— Attention, Mathieu!

Le cri de Sylvain, debout au banc des Castors, n'arrive pas à empêcher la collision. Un Dragon surgit de derrière Mathieu et le renverse violemment. Le joueur des Castors tombe à plat ventre, le souffle momentanément coupé. La rondelle aboutit entre les mains des Dragons qui passent à l'attaque.

Carole dévisage Karine.

— Je le connais, il est dans mon cours d'histoire.

— Alors, je suis contente de ne pas aller à la même école que toi, lance Karine à la blague.

Au cours des deux dernières semaines, les Castors ont eu le temps d'oublier la menace qui planait sur eux. Mais les Dragons n'ont pas oublié leur dernière défaite contre les Castors. Et aujourd'hui, on peut dire qu'ils tiennent bien leur promesse : les Castors mangent effectivement une claque depuis le début de ce match.

La deuxième période se termine sans que les Dragons puissent achever leur attaque. De toute façon, ils mènent déjà 5 à 1.

— S'ils passaient plus de temps à patiner et moins à se taper dessus, le jeu serait plus intéressant, note Karine en se levant. Je vais aller boire un jus avant le cours. Viens-tu?

Carole emboîte le pas à son amie.

Pendant le bref entracte, Sylvain bouillonne. « Tout le monde a peur de toucher à la rondelle » constate-t-il. Et avec raison. Dès les premières minutes du match, les Dragons ne perdent pas une seule occasion de plaquer leurs rivaux le plus fort possible. D'ailleurs, même si l'arbitre donne plusieurs punitions, celles-ci ne représentent qu'une infime partie des infractions réelles. Les Castors se font accrocher, renverser et frapper sans relâche.

— Il faut pas se laisser faire, dit Sylvain à ses coéquipiers. Il faut leur tenir tête.

Mathieu approuve son grand frère par un hochement de tête. Toutefois, les autres joueurs, qui essaient de chasser la douleur, sont moins convaincus. Ils veulent juste en finir avec ce match impitoyable.

L'arbitre annonce le début de la dernière période. Mathieu et son frère prennent leur place pour la mise au jeu. Sylvain réussit à maîtriser la rondelle et l'envoie du côté gauche. L'ailier des Castors s'empare du disque. Le joueur de centre le suit en jetant un coup d'œil vers Mathieu de l'autre côté de la patinoire.

« Le 18 et le 13 le lâchent pas depuis le début, observe Sylvain, troublé. Ils suivent même pas le jeu. » En effet, les numéros 18 et 13 des Dragons, des joueurs costauds, se collent à Mathieu comme une tache. De toute évidence, ils cherchent à gêner les mouvements de Mathieu, marqueur par excellence des Castors.

Sylvain voit la frustration de son frère de treize ans qui essaye de se placer en fonction de l'action, malgré ses deux surveillants. « Ce sont de vraies tactiques de *goons*, ça! » peste Sylvain pour lui-même. L'ailier gauche fait une passe à Sylvain qui se faufile alors derrière le filet. Tout à coup, il aperçoit Mathieu en train de foncer vers le but. Il décide de lui envoyer le disque. Or, Mathieu ne réussit à s'esquiver de ses opposants que le temps d'une seconde. Ainsi, les numéros 18 et 13 se ruent sur lui pour le broyer entre leur masse corpulente. Le pauvre garçon tombe de tout son poids. Le joueur numéro 18 tombe par-dessus lui, puis le garde cloué sur la glace.

Fou de rage, Sylvain explose et se précipite vers le numéro 18. Fort de son élan, il le repousse et libère Mathieu qui, pourtant, demeure immobile. Furieux, le 18 se relève en laissant tomber ses gants. Sylvain l'imite et, hors de lui, il échange des coups de poing avec son adversaire. Les deux belligérants continuent à se battre malgré l'intervention rapide de deux arbitres. Les arbitres viennent à bout de les séparer au bout d'une minute, l'épuisement des bagarreurs aidant.

Tout à coup, Sylvain se rappelle où il est et ce qui vient de se passer. Il regarde Mathieu qui est toujours couché, inerte sur la glace.

— Vous êtes expulsés du match, tous les deux.

La voix de l'arbitre qui dirige Sylvain vers la sortie de la patinoire a l'effet d'une douche froide.

— Mais c'est pas de ma faute! balbutie Sylvain. Il a écrasé mon frère par exprès. Il...

L'arbitre ignore le plaidoyer de Sylvain qui se laisse mener jusqu'à la sortie. Deux ambulanciers montent sur la patinoire. Ils transportent une civière jusqu'au joueur blessé qui a perdu connaissance.

— Mathieu!

Le cri est sorti de la gorge de Sylvain qui a les yeux mouillés.

— Rends-toi au vestiaire. Tu risques l'expulsion pour le reste de la saison.

La voix de monsieur Brisebois, qui vient de le rejoindre, est ferme.

« Qu'est-ce que je suis allé faire? » se demande le garçon qui se cramponne à la porte de la bande. Il fait un pas pour ensuite se retourner brusquement.

.— Mais Mathieu?

— On va s'en occuper, le rassure monsieur Brisebois en montrant du doigt la sortie.

Finalement, Sylvain part à grandes enjambées vers le vestiaire. Une fois arrivé, il s'affaisse sur un banc et se prend la tête entre les deux mains.

« D'abord que Mathieu soit correct » pense-t-il. Une pensée sombre vient s'ajouter à son découragement. « Peut-être que ni lui ni moi ne pourrons jouer encore cette saison. »

– 3 –

Le patinage artistique,
c'est niaiseux, ça

— Je le regrette vraiment.

La voix de Sylvain contient des parts égales de supplication et de repentir.

— Mais c'était pas vraiment de ma faute, ajoute-t-il.

Assis derrière un bureau, les membres du comité disciplinaire de la Ligue de hockey mineur de l'Ontario l'ont écouté sans trahir la moindre émotion. Monsieur Brisebois, debout à côté de Sylvain, le rassure d'un signe de la tête.

Finalement, au bout d'un moment qui, pour Sylvain, semble une éternité, la présidente du comité se racle la gorge.

— Normalement, Sylvain, dans un cas comme celui-là, la punition est une suspension automatique pour le reste de la saison.

Sylvain, qui redoute le pire, écarquille les yeux.

— Or, compte tenu des circonstances décrites par monsieur Brisebois et le rapport de l'arbitre, ce comité est prêt à faire une exception.

Le garçon laisse échapper un soupir de soulagement.

— Nous avons donc décidé de te donner une suspension de quinze matchs.

La mâchoire de Sylvain passe tout près de se décrocher. « Quinze matchs! C'est presque le reste de la saison! » La pensée le décourage et provoque de l'indignation. Il ouvre la bouche pour protester, mais il sent alors la main de monsieur Brisebois se poser sur son épaule. L'entraîneur l'a bien averti avant la séance : les décisions du comité disciplinaire sont sans appel. Sylvain devra donc se faire une raison.

Ainsi, il accepte la sanction, baisse la tête et quitte la salle avec son entraîneur. En voyant sa mine rembrunie, monsieur Brisebois essaye de le consoler.

— C'est pas la fin du monde, Sylvain. Puis, au moins, ton frère se porte bien.

À l'entrée de l'édifice, Mathieu les attend. Le garçon porte toujours un pansement au front. Heureusement, il n'a pas été sérieusement blessé lors de l'incident avec les joueurs des Dragons. Il s'en est tiré avec une simple ecchymose. Une fois Mathieu mis au courant du résultat de la séance, le retour à la maison se fait en silence. Mathieu s'inquiète toutefois de l'air songeur de son grand frère, car ce comportement ne lui ressemble pas du tout.

« Il le prend mal, songe Mathieu. Et quand il est de même, il est capable de faire n'importe quoi. »

* * *

— Celle-là, je la connais. Elle s'appelle Carole.

Mathieu suit le doigt de son frère qui désigne une fille parmi la dizaine de patineuses sur la glace. Le plus jeune Charette fait rouler ses yeux. Regarder un cours de patinage artistique ne l'intéresse vraiment pas. Néanmoins, il est content que Sylvain l'accompagne à la séance d'entraînement. Puisque leur père a été obligé de les déposer à l'aréna Carmichael plus tôt qu'à l'habitude, ils doivent attendre. Ils passent donc le temps comme ils le peuvent.

— Ça doit prendre de la force pour faire ça! s'exclame Sylvain en appréciant les sauts qu'exécutent quelques-unes des filles sur la glace.

« Ouais, tout à coup, il s'intéresse pas mal aux filles » pense Mathieu en notant comment Sylvain scrute attentivement les mouvements des patineuses. Il se met à regretter amèrement d'avoir oublié à la maison le roman qu'il lisait. L'attente serait moins longue s'il pouvait lire *Le pari des Maple Leafs*. Il était rendu au point culminant du livre, là où les Maple Leafs entament le match ultime de la coupe Stanley.

N'en pouvant plus d'attendre, Mathieu laisse Sylvain pour se rendre au casse-croûte. Il s'achète des frites et se met à les manger goulûment. Pendant un instant, il se demande s'il devrait retourner dans les gradins et partager ses frites avec Sylvain. À vrai dire, il aurait le goût de les garder pour lui seul. Un peu malgré lui, il décide finalement d'en offrir à son frère.

En route pour retrouver Sylvain, son œil se laisse attirer par le mouvement sur la glace. Tout en marchant, il observe les silhouettes des patineuses parcourir de vastes sections de la glace en un clin d'œil. « Ça doit être agréable de pouvoir patiner vite et en toute liberté, songe Mathieu, fasciné. Elles n'ont pas à s'inquiéter de se faire entrer dedans par un gorille de l'autre équipe. »

— Ayoye!

Les frites de Mathieu volent dans les airs. Le garçon, trop occupé à regarder les patineuses, a heurté un banc. Désolé, il se met à ramasser les frites tombées par terre. « Je suppose que Sylvain en aura pas après tout » se dit-il en jetant les frites dans une poubelle.

Quelques secondes après, se frottant toujours le genou, il retrouve son frère. Ce dernier, toujours absorbé par le mouvement sur la glace, demeure silencieux.

— Ah! non, pas des patineuses!

Mathieu reconnaît la voix rauque de Robert, gardien de but des Castors, qui s'amène avec Luc, défenseur de la même équipe. Les deux garçons prennent place dans les gradins à côté des deux frères.

— Qu'est-ce que t'as contre ça? demande Sylvain à Robert.

L'autre garçon, surpris par la question, rétorque :

— Ben, voyons donc! Le patinage artistique, c'est niaiseux, ça. C'est une affaire de filles.

— Puis, en plus, à cause d'elles, il va y avoir plein de trous dans la glace quand ça va être notre tour, ajoute Luc.

Sylvain fixe de nouveau son attention sur les patineuses et laisse échapper :

— Moi, je trouve ça bien. Elles patinent vite en tout cas.

En effet, sur la glace, les filles se déplacent avec grâce et rapidité en exécutant des figures de huit.

— T'es bien niaiseux, des fois, Charette, déclare Robert.

Sylvain ignore l'insulte. Tout à coup, Luc se rend compte que seul Mathieu a son sac d'équipement.

— Tu vas pas participer à l'entraînement? demande-t-il.

Sans détourner sa tête des patineuses, Sylvain déclare :

— Non. Même après ma suspension, je retournerai pas. Pour moi, le hockey, c'est fini.

— Quoi? balbutient simultanément les trois autres garçons, incrédules.

Plutôt que de s'expliquer, Sylvain regarde sa montre.

— Vous faites mieux de descendre au vestiaire. Les filles ont presque fini. Puis, monsieur Brisebois n'aime pas ça quand les entraînements commencent en retard.

Constatant que Sylvain a raison, au moins en ce qui a trait à l'heure, Luc et Robert se lèvent.

— T'es encore plus niaiseux que je pensais, Charette, décoche Robert.

Mathieu regarde les deux autres partir et se lève à son tour.

— Tu faisais une farce, hein, Sylvain? T'étais pas sérieux?

Mais l'aîné dévisage son jeune frère sans rire.

— Archi-sérieux.

Mathieu s'exaspère.

— Tu pourras pas te passer du hockey. T'adores ça patiner. Qu'est-ce que tu vas faire?

— Tu vas voir, répond Sylvain.

Ainsi, Mathieu se rend au vestiaire en se demandant quelle inspiration son écervelé de frère vient d'avoir. « Peu importe ce que c'est, j'ai l'impression qu'on va le regretter tous les deux » se met-il à craindre.

– 4 –

J'en peux plus!

— Nos deux nouveaux s'appellent Sylvain et Mathieu.

Les deux garçons, que madame Martin désigne de sa main droite, sourient nerveusement. Ils évitent les regards des dix filles qui les étudient comme des curiosités. Mathieu ne sait pas trop où regarder.

« Qu'est-ce qu'on fait ici? » se demande-t-il pour la centième fois depuis leur arrivée. Cette question et la douleur dans ses pieds, torturés par la forme des patins noirs, occupent toute la place dans sa tête. « J'aimerais bien avoir mes bons vieux Bauer dans les pieds plutôt que ces affaires bizarres » ronchonne intérieurement Mathieu.

Résigné à endurer son mal, Mathieu se dit qu'il ne peut pas laisser son grand frère s'engager seul dans cette folle aventure. Il lui doit cela. Après tout, il est indirectement responsable de la suspension de Sylvain. Mais pas autant que les Dragons, tout de même!

Depuis quelques semaines, déjà, Mathieu se demandait s'il allait continuer à jouer au hockey. En fait, il en a assez de se faire taper dessus par les fiers-à-bras des autres équipes envoyés sur la patinoire uniquement pour harceler les meilleurs marqueurs.

Après quelques échauffements, la leçon de patin artistique commence. Sylvain et Mathieu ont l'impression de réapprendre à marcher. Ils doivent d'abord s'habituer à patiner sans trop se pencher vers l'avant. Dès ses premiers coups de patin, Sylvain se retrouve par terre.

— Tu vas t'habituer, dit madame Martin pour l'encourager.

Mathieu n'a pas pu s'empêcher de rire en voyant tomber son grand frère comme s'il venait de glisser sur une peau de banane. Le plus jeune Charette s'essaye à son tour. Il réussit à avancer et à prendre de la vitesse. Soudainement, il se rend compte qu'il ne peut plus s'arrêter.

« Hé! » crie-t-il en se retrouvant à son tour sur le derrière.

— Pas si facile que ça en a l'air, lui lance Sylvain.

Madame Martin leur explique les trois catégories de patinage : l'artistique, qui se fait en solo ou en couple, la danse et enfin le style libre. Dans ce cours, ils doivent apprendre à patiner avec quelqu'un et suivre le mouvement de l'autre. Les coups de patin se font en alternance, en utilisant la partie intérieure de chaque lame de patin.

Les deux garçons observent Karine et Carole faire quelques mouvements ensemble.

— Si les filles peuvent arriver à le faire, chuchote Mathieu à son frère, nous aussi on doit en être capables.

Les deux garçons poursuivent les exercices proposés par l'enseignante. « Avec des patins comme ceux-ci, on se déplace plus vite encore qu'avec des patins de hockey » découvre Sylvain, fasciné par sa vitesse. Grisé par la vitesse, Sylvain ne prête pas attention à la bande de la patinoire. Il l'atteint donc beaucoup plus rapidement qu'il ne l'avait prévu. Espérant l'éviter, il plante les dents de scie, qui se trouvent à l'avant de son patin, dans la glace. Il est propulsé par en avant et frôle les planches avant de s'étendre encore une fois sur la glace.

Karine, qui vient d'exécuter un mouvement à quelques mètres du garçon tombé sur la glace, lui lance un commentaire railleur :

— Ça doit faire plus mal encore qu'une mise en échec au hockey, hein?

Dépité, Sylvain la regarde.

— J'en peux plus! s'écrie-t-il.

Il se lève et quitte la patinoire, même s'il reste encore une vingtaine de minutes au cours.

Mathieu, qui vient de réussir à effectuer une figure de huit sans tomber, remarque le départ précipité de son frère. Son regard se promène nerveusement des filles, qui poursuivent leurs exercices, à Sylvain, qui est maintenant assis dans les gradins. Il ne sait plus quoi faire. « Je lui avais dit que cette idée était folle » songe Mathieu. « Je me demande si Sylvain va être fâché si je termine la leçon. » Maintenant que les deux frères se sont brouillés avec leurs camarades de hockey, il n'y a plus de retour en arrière possible.

* * *

— T'aurais dû dire quelque chose.

Mathieu a les oreilles qui chauffent en entendant son frère le sermonner. Assis dans les gradins à côté de Sylvain, il s'applique à défaire les lacets de ses patins sans dire un mot. Il a suivi toute sa première leçon de patinage artistique, même si Sylvain a abandonné. « Lui dire quelque chose! maugrée Mathieu, j'ai essayé 175 000 fois de le prévenir que ces leçons allaient finir en désastre. Puis maintenant, il veut me blâmer pour sa décision! »

Sylvain, qui a fini d'enlever ses patins, masse ses pieds douloureux.

— Quelle torture!

— Ça, c'est vrai, renchérit Mathieu en retirant un patin.

Les garçons remarquent que quelqu'un s'avance vers eux.

— Pas elle! dit Sylvain en voyant arriver Karine. Elle s'en vient tourner le fer dans la plaie.

Elle leur sourit en déclarant :

— Bravo, les gars! Vous avez passé à travers le plus difficile, votre première leçon.

— Notre dernière leçon, corrige Sylvain qui interprète le commentaire de Karine comme une remarque sarcastique.

— Vous pouvez pas lâcher tout de suite. Ça serait une grave erreur.

La curiosité de Mathieu est piquée. Il croit à la sincérité de Karine.

— Qu'est-ce que tu veux dire?

— Vous n'êtes pas aussi pourris que vous le croyez, enchaîne Karine. En fait, vous avez bien du potentiel. Ça va juste vous prendre un peu de temps pour vous habituer à patiner différemment qu'avec des patins de hockey.

Le commentaire laisse les deux garçons songeurs. Karine poursuit :

— Vous avez vraiment une occasion en or.

Karine devine par les regards étonnés de Sylvain et de Mathieu qu'ils ne comprennent pas. Elle ajoute :

— Il y a très peu de garçons dans le patinage artistique.

— Je comprends, dit Sylvain. C'est difficile.

— Plusieurs filles cherchent des partenaires pour les compétitions en couple, enchaîne Karine. Il y a donc beaucoup de place pour les garçons.

— C'est vrai? demande Mathieu.

Karine répond de façon catégorique.

— Tellement que je suis même prête à vous aider.

— Comment? demandent les deux frères en même temps.

— Je pourrais vous donner des cours privés. Je vous enseignerais quelques trucs. Si vous voulez, on peut se rencontrer demain matin à la patinoire Gervais.

Mathieu hésite. Il est tout étonné quand il entend Sylvain répondre :

— D'accord, on sera là.

Karine les laisse et Mathieu finit d'enlever son second patin.

— Penses-tu vraiment que ces cours privés sont une bonne idée?

— Absolument, répond Sylvain. Tu l'as entendue. Avec son aide, on pourra devenir des patineurs riches et célèbres.

Mathieu range ses patins dans son sac. Il a l'impression que son frère veut profiter de l'aide de Karine pour une autre raison. « Même si Karine nous aide pour rien, les leçons avec madame Martin coûtent cher, note-t-il. Où est-ce qu'on va trouver l'argent? »

Sylvain se lève et se prépare à partir. Encore une fois, malgré le sentiment qu'il se dirige vers une catastrophe imminente, Mathieu décide de suivre son frère.

– 5 –

Des cours plus que privés

— La vitesse est de première importance.

— Comme au hockey, renchérit Sylvain, enthousiaste, en hochant la tête.

Karine leur donne des explications depuis une dizaine de minutes. Bien que Sylvain semble s'accrocher à chacune des paroles de la jeune femme, Mathieu, lui, commence à avoir froid. La patinoire Gervais est une patinoire extérieure exposée au vent du nord. Mathieu aimerait bouger afin de se réchauffer un peu.

— En général, les patineurs qui évoluent sur toute la patinoire à une bonne vitesse reçoivent une note plus élevée, complète Karine.

Son exposé terminé, elle enjoint ses deux élèves à la suivre en traçant de larges figures de huit sur toute la longueur de la patinoire. Les trois s'exécutent. Mathieu est content qu'à cette heure du matin ils aient la patinoire à eux. En plus d'avoir tout l'espace qu'il leur faut, ils n'ont pas à endurer des regards gênants.

— C'est bon, crie Karine en se retournant pour observer le mouvement des deux autres.

Après quelques minutes, Mathieu se sent plus confiant. Ses coups de patin sont plus solides. Il a moins mal aux pieds que la dernière fois.

— Hé! Sylvain, je commence à avoir le tour.

Le grand frère sourit et s'applique à patiner tout en observant le mouvement de Karine. Sa silhouette svelte danse sur la glace brillante qui réfléchit les éclats du soleil. Contrairement à leur première leçon, aujourd'hui, les garçons sont beaucoup plus détendus. Ils sont ainsi plus réceptifs aux instructions.

Brusquement, Karine change de direction et exécute une pirouette spirale qui émerveille les deux garçons.

— On va d'abord se concentrer sur les poussées-élans, dit Karine à la fin de sa pirouette. Ensuite, on travaillera les courbes et la forme.

Les deux frères acquiescent de la tête et, pendant une demi-heure, s'appliquent aux exercices. Même s'ils tombent quelques fois, ni Sylvain ni Mathieu ne se découragent. Une compréhension de la technique du patinage artistique commence à germer en eux.

Satisfaite de l'évolution des deux Charette, Karine décrète la fin de la leçon. Elle leur donne rendez-vous le surlendemain. Mathieu n'a plus froid. En fait, il est trempé de sueur comme à la fin d'un match de hockey. De plus, il ressent une joie aussi intense que s'il venait de compter un but.

* * *

Lors de leur deuxième séance, Karine leur donne beaucoup moins d'explications. Ils se mettent à patiner tout de suite. Au bout d'une heure, les trois conviennent de faire une pause.

— Vous apprenez vraiment vite, dit Karine après avoir bu de l'eau de sa bouteille.

— C'est parce que tu enseignes bien, répond Sylvain dont les yeux se perdent dans ceux de Karine.

— Puis, on travaille fort, ajoute Mathieu.

Après un silence de quelques secondes, Karine se remet debout.

— C'est peut-être un peu prématuré, mais j'aimerais qu'on essaye quelque chose, Sylvain.

L'aîné des Charette observe Karine en attendant la suite.

— Une levée avec prise sous les bras.

Sylvain reste interloqué avant de demander :

— Une levée de quoi?

Mathieu, qui a pigé plus vite que son frère, éclate de rire.

— De Karine, espèce de concombre.

Mathieu trouve cela encore plus drôle quand Sylvain se met à rougir. Karine essaye de le rassurer.

— Ce sont les levées les plus faciles.

— Je sais pas si Sylvain a assez de force dans les bras pour ça.

Mathieu continue à s'amuser de l'embarras de son frère. Vexé, Sylvain le foudroie du regard. Puis, il se tourne vers Karine et dit :

— Montre-moi quoi faire.

Karine s'approche et donne des instructions à Sylvain.

— ...Puis là, tu vas mettre une main sous mon aisselle, ici. Après, moi, je pose ma main sur ton épaule.

Tout en parlant, Karine place la main de Sylvain sous son aisselle et met la sienne sur son épaule.

— Ensuite, tu vas prendre mon autre main avec ta main libre. Ton autre bras va être complètement tendu. Je vais quitter la glace, juste pour deux ou trois secondes. T'as compris?

Sylvain, la posture très raide et le visage de plus en plus rouge, répond d'un signe affirmatif. Mathieu trouve la gêne de Sylvain tout à fait comique.

— Je pense que tu peux la lâcher maintenant, propose Mathieu, la voix pleine de sarcasme.

Sylvain retire alors ses deux mains comme si Karine était en feu. La jeune fille sourit et dit :

— On va aller par là. Fais juste suivre mes instructions.

Sylvain hoche la tête. Il secoue son corps un peu pour se détendre. Ensuite, doucement, Karine commande le départ :

— Allons-y.

Le couple patine et prend de l'élan. Sylvain se concentre de toutes ses forces comme s'il suivait le mouvement de la rondelle pendant une partie de hockey.

— Ta main sous l'aisselle.

Sylvain obéit. Son autre main enserre la main de Karine et celle-ci quitte la glace. Sylvain raidit son bras pour supporter sa partenaire. À peine trois secondes plus tard, Karine se pose de nouveau sur la glace. Les deux patineurs se tiennent toujours et se laissent glisser. C'est déjà fini.

— Bravo! C'était pas mal bon.

Mathieu ajoute des applaudissements à son compliment. Il doit reconnaître que son frère s'est bien tiré d'affaire. Sylvain sourit à se fendre la bouche. Karine retire ses mains.

— C'était super. Tu sais, avec beaucoup de travail, on pourrait faire une équipe.

Karine n'arrive pas à contenir son excitation.

— On pourrait monter un numéro ensemble pour les compétitions du mois de mars.

Sylvain s'emballe aussi.

— Allons prendre un chocolat chaud et en parler.

Karine accepte et se rend à un banc enlever ses patins. Comme s'il venait tout à coup de se rappeler la présence de son frère, Sylvain se tourne vers Mathieu :

— Viens-tu avec nous?

Mathieu se sent subitement de trop.

— Non, je vais patiner encore un peu. Moi, j'ai pas autant de talent que toi.

Sylvain sent la colère dans la voix de son frère. Or, en même temps, la réponse de Mathieu l'arrange. Sylvain enlève ses patins et quitte la patinoire en compagnie de Karine. Pendant une vingtaine de minutes, Mathieu patine avec furie.

« Il avait dit qu'on travaillerait ensemble à préparer des numéros de style libre, fulmine Mathieu en son for intérieur. S'il me fait ce coup-là, il va le regretter. »

Poussé par la rage, Mathieu prend de l'élan et essaye de faire une pirouette comme Karine leur a montré. À son grand étonnement, il réussit la manœuvre. Exalté et légèrement étourdi, il a subitement une inspiration.

« Ça serait carrément génial! se dit-il. Je vais attendre un jour ou deux avant de lui proposer ça. Sylvain ne pourra pas dire non. »

– 6 –

Il y a juste de la place pour deux

— Cette idée était géniale.

Le commentaire de Karine suscite l'approbation de Sylvain qui tire le toboggan derrière lui. Ses jambes peinent contre la pente escarpée, mais il ne s'en rend même pas compte.

— Oui, cette côte est superbe. On peut vraiment prendre de l'élan pendant la descente.

Sylvain est heureux de faire autre chose que du patinage avec Karine. Depuis deux jours, elle lui parle du numéro de danse qu'elle aimerait créer avec lui. La tâche, constate Sylvain, exigera beaucoup de travail et d'entraînement. Cependant, pour l'instant, il profite du simple plaisir de descendre une côte en toboggan avec Karine.

Parvenus enfin au sommet de la colline, ils contemplent l'horizon blanc. Une épaisse couche de neige recouvre Sudbury. Il fait moins quinze degrés Celsius et la neige, sur la pente, est aplanie et très lisse, parfaite pour les descentes à une vitesse fulgurante.

— Mathieu n'avait pas l'air très content à la fin de la dernière leçon.

Le commentaire de Karine rappelle à Sylvain une réalité qu'il préférerait oublier. Depuis deux jours, Mathieu affiche un air encore plus bougon que d'habitude.

— Il est de même des fois, finit par dire Sylvain.

— Il ne faudrait pas qu'il se décourage, poursuit Karine. Il a vraiment du talent. Il saisit certaines techniques encore plus vite que toi.

Sylvain reste un peu surpris par ce dernier commentaire. Il replace le toboggan pour redescendre la pente.

— En tout cas, il peut patiner. Tu devrais le voir partir en échappée avec la rondelle. Une fois qu'il prend son envolée, personne ne peut le rattraper.

Sylvain reste rêveur un moment, comme si, dans sa tête, il visualise la scène qu'il vient de décrire.

— Ça te manque, le hockey?

La question de Karine tire Sylvain de sa rêverie. Il réfléchit quelques secondes avant de répondre.

— Oui et non. Je m'ennuie un peu de l'excitation du jeu et de la camaraderie de l'équipe.

— Toi et moi, on va former une équipe.

Sylvain regarde Karine.

— Oui, mais c'est pas pareil. Puis, pour gagner au hockey, on a juste à compter plus de buts que les adversaires. Tandis qu'avec le patinage il faut impressionner les juges et…

— …remporter plus de points que les autres patineurs, coupe Karine en riant. Tu vois, dans le fond, c'est pas si différent du hockey.

Sylvain rit à son tour.

— Peut-être bien que non. J'espère juste que les juges ne seront pas comme les arbitres au hockey.

Il fait signe à Karine de prendre place sur le toboggan. Cependant, juste au moment où elle s'installe, une voix familière les surprend.

— Hé! Sylvain, attends. Il faut que je te parle.

Mathieu arrive en courant.

— Je t'ai cherché partout, dit-il en haletant.

Navré, Sylvain cache mal sa déception.

— Bien, là, tu m'as trouvé. Alors, qu'est-ce qui presse tant que ça?

Mathieu prend quelques secondes encore pour reprendre son souffle.

— J'ai une idée pour une suite de deux numéros que toi et moi pourrions présenter à la compétition du mois de mars.

Le regard de Sylvain va de Karine à Mathieu. La première affiche de l'étonnement et de la déception, tandis que le deuxième ménage son effet dramatique en restant silencieux. Sylvain ouvre la bouche pour envoyer promener Mathieu, mais s'arrête. « D'un coup que c'est vraiment une bonne idée » se dit-il.

— Envoie, crache.

Mathieu, content d'avoir suscité l'impatience chez son frère, le fait languir quelques secondes de plus avant de proclamer triomphalement :

— Deux périodes de hockey.

Alors, Mathieu décrit en détail son idée, une chorégraphie d'un match de hockey. Séparément, chaque patineur pourra simuler une période du match, avec des mises en échec, des échappées, des tirs, des arrêts, des signes d'arbitre, toute une gamme d'événements et de mouvements. Il termine en rappelant à Sylvain que la compétition du mois de mars offre un prix exceptionnel. En plus des médailles, il y aura une bourse d'études pour le gagnant dans la catégorie style libre.

— Je suis convaincu que deux numéros aussi originaux remporteront le premier prix.

Les rouages dans la tête de Sylvain tournent à deux cents kilomètres à l'heure. Il imagine le spectacle que propose son frère. « Ça serait complètement capoté, pense-t-il. Et le plus fou, c'est que ça pourrait marcher. »

— Oui, mais il y a notre numéro de couple...

Sylvain se tourne vers la voix de Karine. La jeune fille a l'air subitement attristée.

— Il n'y a pas de prix en argent pour la catégorie de danse en couple, souligne Mathieu avec l'air de celui qui brandit l'argument décisif.

Pris entre deux feux, Sylvain ne voit qu'une solution pour l'instant.

— Je vais y penser, dit-il au bout d'un long moment.

Sylvain se place alors sur le toboggan derrière Karine. Ses bras de chaque côté de la fille, il empoigne fermement les cordes du toboggan.

— Je vais descendre avec vous, décide Mathieu en s'avançant vers l'espace vide au bout du toboggan.

— Non, il y a juste de la place pour deux.

Le ton tranchant de Sylvain arrête Mathieu dans ses pas. Avant même qu'il puisse protester, son frère agite son corps et fait partir le toboggan. Sylvain et Karine se mettent à descendre la côte. Au bout de cinq secondes, leurs formes ne sont plus qu'une ligne floue fendant l'air à une vitesse météorique.

Mathieu, peiné, regarde le toboggan s'éloigner de plus en plus rapidement. Tout à coup, ses yeux s'écarquillent. Il crie de toutes ses forces :

— Arrêtez! Il y a une auto qui s'en vient.

Le toboggan atteint la fin de la pente. Il file à toute allure en aspergeant de neige les deux passagers. Sylvain, excité par la vitesse, ne se rend pas compte que le toboggan, hors de contrôle, dépasse le bout de la pente et commence à traverser la rue en face.

Karine, en apercevant soudainement la voiture qui remonte la rue vers eux, laisse échapper un cri. Sylvain essaye alors de tourner le toboggan pour l'arrêter, mais il est trop tard. La voiture freine et dérape sur la mince couche de glace recouvrant la chaussée. La collision semble maintenant inévitable.

D'abord paralysé d'horreur, Mathieu se met ensuite à courir vers le bas de la pente. La consternation lui fait plisser le front. Sa voix, transformée par l'inquiétude, pousse un cri déchirant :

— Sylvain!

–7–

C'est une insulte au hockey!

Du blanc. Partout du blanc. C'est tout ce que Sylvain voit en ouvrant les yeux.

— Ça va?

La voix de Mathieu. Oui, il est étourdi, mais n'a rien de cassé. Il fait même un geste pour se lever. Un ambulancier prend son bras.

— Doucement. Pas trop vite.

Avec l'aide de l'homme, Sylvain parvient à se mettre sur pied. Tout à coup, le souvenir de la voiture fonçant à vive allure vers Karine et lui inonde son esprit.

— Où est Karine?

— Elle est correcte, le rassure Mathieu.

Quelques pas plus loin, il rejoint Karine, assise dans une ambulance. Elle a les larmes aux yeux et son bras droit immobilisé.

— Vous êtes bien chanceux, dit Mathieu. L'auto vous a juste effleurés.

En effet, Sylvain constate qu'à part quelques égratignures il s'en est tiré indemne.

— J'ai le bras cassé, gémit Karine qui a visiblement mal.

Sylvain prend place à côté d'elle dans l'ambulance. Heureux que, somme toute, ils ont évité le pire, le garçon soupire de soulagement.

— Je vais te revoir à la maison, dit Mathieu, au moment où les portes de l'ambulance se referment.

Tout le long du trajet jusqu'à l'hôpital, Sylvain regarde Karine en pensant : « Je sais pas si elle me pardonnera. »

* * *

— On a essayé juste nous deux et on voit bien qu'on y arrivera pas sans toi.

Sylvain est catégorique. Karine contemple longuement les deux frères Charette. Elle ne vient pas à bout de se concentrer sur ce que Sylvain et Mathieu viennent de lui demander, car la partie de son bras dans le plâtre la démange. Depuis deux semaines, elle s'habitue peu à peu à fonctionner avec son membre immobilisé.

— Pour moi, la saison de patinage est finie, dit-elle en gesticulant avec son plâtre blanc recouvert de signatures.

Mathieu la supplie.

— Si tu nous aides à monter nos numéros, Karine, ça sera comme si tu patinais avec nous.

Karine, toujours hésitante, contemple de nouveau les deux garçons.

— Et en retour?

Mathieu se tourne vers Sylvain et attend. Le grand frère se racle la gorge et dit solennellement :

— Je te promets que, la saison prochaine, je serai ton partenaire.

— Et, si on gagne, on partagera la bourse avec toi, ajoute Mathieu.

Un sourire flotte sur les lèvres de Karine qui, soudainement, semble entrevoir un avenir prometteur.

— Et vous ferez tout ce que je vous demande?

Les deux frères hochent la tête dans l'affirmative.

— Alors, j'accepte.

Les Charette se laissent aller à une démonstration bruyante de leur joie. Toutefois, s'ils savaient ce qui les attend, ils seraient sans doute moins emballés.

Dès le lendemain, ils commencent un entraînement rigoureux avec Karine. Cette dernière les accompagne à la patinoire. Ensemble, ils déterminent la succession et l'enchaînement des mouvements qui constitueront leur numéro respectif. Les deux utiliseront la même musique, un choix tout désigné : l'indicatif de la soirée du hockey. Sylvain fera la première partie du match, Mathieu la seconde.

Au cours des deux prochains mois, les garçons et leur entraîneuse travaillent d'arrache-pied. Petit à petit, leur numéro prend forme. En même temps, les Charette poursuivent leurs leçons avec le groupe de madame Martin. Un jour, leur instructrice leur fait la remarque :

— Vous me surprenez, les gars. Vous avez le potentiel de devenir d'excellents patineurs artistiques.

Le mois de mars approche à grands pas.

— Je ne sais pas si on est prêts, déclare Karine le jour avant le départ pour Barrie, ville où se tient la compétition de patinage artistique.

— On le verra bien demain, répond Sylvain.

Ainsi, les trois entreprennent le voyage vers Barrie, ville située à cent kilomètres au nord de Toronto, avec un nœud dans l'estomac. Ce samedi-là, ils enfilent leurs patins et attendent leur tour en observant attentivement les performances de leurs compétiteurs. En fait, les épreuves de la catégorie style libre sont les derniers au programme. Les Charette patineront à la toute fin.

Les autres patineurs se succèdent. Les notes accordées par les juges pour les patineurs du programme style libre varient. Certaines sont basses, mais deux d'entre elles frisent le maximum. Les Charette ressentent une vive tension. De plus, quelques minutes avant de sauter sur la patinoire, Sylvain et Mathieu entendent une voix qui les glace d'effroi.

— Hé! les gars, vous allez vous faire planter comme il faut.

Les frères se retournent et reconnaissent alors Luc et cinq autres de leurs anciens coéquipiers des Castors.

— Qu'est-ce que vous faites là? demande Sylvain, incrédule.

Luc leur explique que les Castors prennent part à un tournoi de hockey qui a lieu dans le même complexe sportif.

— On avait du temps entre deux matchs, on a donc pensé venir voir les deux vedettes.

Les Castors éclatent de rire. Sylvain se prépare à rétorquer quand un des organisateurs de la compétition lui indique que c'est son tour. Le patineur saute donc sur la glace et va se placer au centre, comme pour une mise au jeu. Sylvain porte le chandail bleu et blanc des Maple Leafs de Toronto. Le garçon prend de longues respirations pour se calmer.

— Bonne chance, Sylvain.

Il regarde vers la bande où Karine se croise les doigts. Quelques secondes après, les premières notes de l'indicatif de la soirée du hockey se mettent à résonner dans les haut-parleurs. Sylvain s'active comme si un match de hockey venait de commencer. Comme un joueur poursuivant une rondelle, il avance et recule, change brusquement de direction, subit des mises en échec, en donne.

Il va dans tous les sens, comme s'il échangeait la rondelle avec l'adversaire. Ses mouvements se synchronisent avec la musique, passent de manœuvres lentes à des gestes saccadés. Quand Sylvain simule une mise en échec implacable et tombe, la foule laisse échapper un soupir. Or, il rebondit sur ses pieds.

Le numéro se poursuit encore pendant une minute et, à la dernière note, Sylvain s'immobilise, les bras levés comme s'il venait de compter un but.

La foule applaudit, tandis qu'il quitte la glace. Karine l'accueille en tapant, elle aussi, des mains.

— Excellent, Sylvain. Presque pas d'erreurs.

Ainsi, Sylvain attend les notes des juges. Les numéros sont annoncés et le total s'affiche. Il arrive à quelques points en dessous des meilleurs résultats. Néanmoins, Mathieu a encore une chance de remporter la compétition.

Le plus jeune Charette se présente à son tour sur la glace. Il porte l'uniforme tricolore des Canadiens de Montréal. La musique recommence. Le numéro de Mathieu reprend beaucoup des mouvements exécutés par Sylvain. Toutefois, il en modifie certains et en ajoute d'autres. D'ailleurs, Mathieu fait preuve de plus de vitesse que son frère tout en maîtrisant sa technique. Il termine le numéro avec une impressionnante pirouette où, à la fin, il fait le geste d'un joueur de hockey portant triomphalement la coupe Stanley au-dessus de sa tête.

Sylvain et Karine restent ébahis.

— Je suis fier de toi, proclame Karine quand Mathieu quitte la glace.

Après quelques minutes interminables, les juges rendent enfin leur verdict. Les sourires des deux garçons s'effacent. Le résultat total de Mathieu arrive juste à un point sous la note la plus élevée. Ni Karine ni les garçons ne peuvent cacher leur déception amère. Les juges ont apprécié l'originalité, mais la technique de leurs rivaux s'est avérée supérieure et a fait pencher la balance.

— C'était une insulte au hockey, à notre sport national!

Mathieu et Sylvain se tournent pour faire face à Luc, tandis que les autres membres de l'équipe se moquent d'eux. Luc en rajoute :

— Si vous vouliez jouer au hockey, vous aviez juste à rester avec l'équipe.

Enragés, Sylvain et Mathieu s'approchent de leurs amis.

— Au moins, nous autres, on sait comment patiner comme il faut, hurle l'aîné des Charette.

Les autres garçons restent décontenancés. Finalement, Luc riposte :

— Ah! oui, il faudrait voir ça.

— OK! faisons une compétition d'abord, propose Sylvain. Les quatre meilleurs patineurs des Castors contre nous deux. On va voir qui peut patiner plus vite et plus habilement.

Désarçonnés pendant quelques secondes, les joueurs de hockey se concertent. Mathieu cache son inquiétude. « La seule chose qui serait pire que de dire non serait qu'ils disent oui » pense-t-il.

– 8 –

Les vrais mordus de la glace

— Alors, c'est quoi le but de la compétition?

Le journaliste du journal *Le Voyageur* de Sudbury attend la réponse de Sylvain. Depuis que les joueurs de l'équipe des Castors ont relevé le défi d'une compétition de patinage contre les frères Charette, l'intérêt général pour cette épreuve ne cesse de grandir. Même les médias s'y intéressent.

La question du journaliste embête un peu Sylvain. Que vise au juste ce concours qui n'offre aucun prix aux gagnants? Dans le fond, Sylvain doit reconnaître que son orgueil l'a poussé à mettre les Castors au défi.

— Mon frère et moi voulons montrer que le patinage artistique est à la fois un art et un sport, commence à dire Sylvain. Mathieu et moi avons longtemps joué au hockey. Mais on n'a jamais appris à patiner aussi bien et avec autant de force que depuis qu'on s'adonne au patinage artistique.

Le journaliste a noté la réponse et ferme son calepin.

— C'est bon, merci. Alors, on se reverra samedi matin.

Sylvain regarde l'homme partir. Dans deux jours, Mathieu et lui affronteront les Castors juste avant leur match de hockey habituel du samedi. Plus la journée approche, plus Sylvain a peur. Si les frères perdent contre les hockeyeurs, Sylvain se sentira humilié. Il se lève et se rend à la cuisine pour se verser un jus d'orange.

Dans le salon, il croise Mathieu qui parle au téléphone.

— ...oui, mon frère et moi avons bien hâte de leur montrer ce qu'on a appris.

« Ça doit être son entrevue à Radio-Canada, pense Sylvain en continuant sa route. J'espère qu'il ne dira pas de bêtises. »

Dans la cuisine, Sylvain s'installe avec son jus. Il doit avouer qu'il regrette d'avoir provoqué cette compétition avec ses anciens coéquipiers. Peu importe le résultat, il risque d'être perdant. « Le hockey me manque un peu, mais pas autant que les amis de l'équipe. » La pensée trouble Sylvain. « Mais, maintenant, il est trop tard. Il faut aller jusqu'au bout. »

* * *

— Envoie, Sylvain, on va leur montrer ce qu'on sait faire.

Les spectateurs dans le centre sportif plein à craquer attendent impatiemment. Le bruit de cette compétition inhabituelle a couru, attirant ainsi une grosse foule.

La voix d'un présentateur annonce le début de l'épreuve. Les deux Charette prennent place sur la ligne bleue à un bout de la patinoire. Quatre joueurs des Castors, vêtus de l'uniforme brun de leur équipe, dont Luc, se placent un peu plus loin sur la même ligne. L'arbitre désigné pour le match de hockey a accepté d'arbitrer cette compétition. Il lève le bras et fait signe aux garçons de se préparer.

Quelques secondes après, il baisse le bras et les patineurs s'envolent. La foule encourage ses favoris : certains prennent pour les Castors, d'autres pour les Charette. Dès les premières secondes de l'épreuve, les deux frères prennent une avance considérable. Ils se rendent jusqu'à la ligne bleue opposée et reviennent avant même que leurs opposants aient franchi la ligne du centre une deuxième fois.

— Vitesse et forme avant tout!

Mathieu énonce la formule qu'il a entendu Karine répéter d'innombrables fois tout en faisant un signe de la main à la fille avec le bras dans le plâtre. Cette dernière encourage les Charette depuis les gradins. Les deux frères savourent cette première victoire. Leurs opposants ont le souffle haletant, tandis que les Charette respirent presque normalement.

Le présentateur annonce le début de la deuxième épreuve, la même compétition de vitesse, mais de reculons cette fois. De nouveau, les patineurs se mettent en ligne. L'arbitre donne le signal de départ.

La course s'entame, moins rapidement cette fois. Tous les patineurs avancent à la même vitesse environ. Or, quand les frères Charette tournent à la ligne bleue opposée pour revenir, ils prennent un élan qui fait mordre la poussière aux autres concurrents. Mathieu et Sylvain profitent de leur avance pour allonger leur trajet en se croisant à deux reprises avant d'atteindre de nouveau la ligne de la fin. Les partisans des Castors tombent silencieux, alors que les autres applaudissent les prouesses des deux frères.

Un des arbitres se met alors à disposer des cônes orangés à divers points sur la glace pour créer une course à obstacles. Cette fois, tous les participants devront patiner l'un après l'autre avec un bâton de hockey dans les mains. Leur temps sera compté au chronomètre.

Les quatre joueurs des Castors sont les premiers à se succéder dans la course. L'un après l'autre, ils contournent les cônes en changeant brusquement chaque fois de direction. Christophe, ailier gauche de l'équipe, réussit le temps d'une minute trente-sept secondes. Mathieu prend alors place sur la ligne de départ. Une fois le signal d'envoi donné, il se lance dans la course comme une tornade déchaînée. À deux reprises, le garçon exécute les virages si rapidement que les spectateurs s'attendent à le voir chuter. Pourtant, il maintient son équilibre et termine le circuit en une minute dix secondes. Les gens applaudissent toujours quand Sylvain entame le tour de la piste. Il éblouit la foule en terminant le parcours une seconde plus vite que son frère. En passant le dernier cône, il exécute une pirouette pour célébrer sa victoire.

Shlock! Il fait retentir sa main contre la paume élevée de Mathieu.

— On les a battus comme il faut! s'écrie ce dernier.

En effet, tous et chacun doivent reconnaître la supériorité des deux frères Charette en patinage comparativement à leurs anciens coéquipiers.

— On va aller serrer la main des gars, propose Sylvain.

Or, avant même qu'ils puissent les approcher, les joueurs de hockey quittent la patinoire en grommelant. Ils n'acceptent pas du tout leur défaite.

— Tu parles d'une gang de mauvais perdants! s'exclame Mathieu. Tant pis, ce sont encore nous les gagnants.

Sylvain hoche la tête, mais il a la mine subitement rembrunie. Ils ont gagné l'épreuve, mais Sylvain regrette d'avoir perdu l'amitié de ses coéquipiers, le vrai prix qu'ils cherchaient à remporter.

— C'était vraiment bien les gars. Toutes mes félicitations!

L'entraîneur des Castors, monsieur Brisebois, leur tend la main tout en poursuivant.

— J'ai beau leur répéter que, pour bien jouer, il faut d'abord savoir patiner et faire constamment des exercices. Mais, vous deux, vous leur avez montré que c'est vrai. J'espère qu'ils vont retenir la leçon.

— Ouais, dit Sylvain qui a l'air de plus en plus renfrogné.

— Malheureusement, j'ai bien peur, ajoute monsieur Brisebois, qu'il soit trop tard pour cette saison.

— Comment ça? demande Mathieu, intrigué.

— Depuis un mois, l'équipe joue de moins en moins bien. On a perdu la plupart de nos derniers matchs. Après la volée que vous leur avez donnée, je doute que l'équipe fera mieux aujourd'hui. Puis, la semaine prochaine, les éliminatoires commencent.

Tout à coup, même Mathieu se sent déprimé.

— Qu'est-ce qui vous prend? s'exclame monsieur Brisebois. On dirait que c'est vous qui avez perdu la compétition.

Au bout de quelques secondes de silence, Sylvain tente de s'expliquer.

— Je suis content d'avoir gagné, mais…

Il n'arrive pas à bout d'achever sa phrase. Heureusement, Mathieu prend la relève.

— On pensait pas que ça finirait de même. On espérait qu'après la compétition les gars de l'équipe redeviendraient nos amis.

Un nouveau silence s'installe, tandis que monsieur Brisebois songe aux propos des Charette.

— Écoutez, les gars. On pourrait peut-être arranger ça…

Ainsi, pendant les prochaines minutes, monsieur Brisebois leur expose une proposition qui laisse les frères Charette à la fois épatés, mais craintifs.

– 9 –

Une drôle de proposition

— Je ne suis pas déçu parce que vous avez perdu.

La vingtaine de paires d'yeux qui regardent monsieur Brisebois, entraîneur des Castors, cherchent à comprendre. Toutefois, les jeunes joueurs de hockey restent perplexes.

— Je suis déçu parce que vous n'avez pas bien joué. Vous avez perdu votre concentration.

— C'est pas de notre faute, ils n'arrêtaient pas de nous taper dessus.

La plainte de Luc suscite des hochements d'approbation des autres joueurs.

— Mais vous vous êtes laissé prendre à leur piège, reprend monsieur Brisebois. On a eu trois punitions dans les cinq dernières minutes du match.

Silence. De part et d'autre, les Castors reconnaissent que leur entraîneur a raison. Cependant, les joueurs se sentent désemparés. Ils ne savent plus à quel saint se vouer.

— J'ai eu une idée, déclare monsieur Brisebois. Si vous l'acceptez, je crois que nous avons encore une chance d'avancer dans les éliminatoires.

Tous les garçons dans le vestiaire frétillent de curiosité. L'entraîneur ouvre alors la porte du vestiaire. Les joueurs restent bouche bée en voyant Mathieu et Sylvain Charette pénétrer dans la salle.

— Qu'est-ce qu'ils veulent encore, ces deux-là?

La question de Luc déclenche un courant d'hostilité qui secoue la salle devenue subitement bruyante. De sa grosse voix, monsieur Brisebois réclame et obtient le silence.

— J'ai demandé aux Charette de réintégrer l'équipe. La suspension de Sylvain est terminée depuis quelques semaines. Vous serez tous d'accord pour dire que la présence de Mathieu et de Sylvain nous a beaucoup manqué.

Un nouveau silence pensif s'installe. Les joueurs s'interrogent mutuellement du regard. Tout le monde reconnaît que les Castors touchent le fond. S'ils en sont là, c'est au moins en partie à cause du départ des Charette.

— Si on est venus, c'est parce qu'on veut vraiment aider l'équipe.

Le ton de Sylvain ne laisse aucun doute quant à sa sincérité. Il finit par faire son effet. Christophe, un des joueurs qui a pris part à l'épreuve de patinage, se lève et s'approche des deux frères.

— Moi, en tout cas, j'aime autant jouer avec vous que contre vous.

D'autres voix s'élèvent pour approuver le retour des Charette. Toutefois, Mathieu vient troubler l'atmosphère de fête.

— On est prêts à revenir, mais à une condition.

Les garçons se font silencieux pour entendre la suite. Mathieu ne les fait pas attendre.

— Le patinage artistique nous a appris un principe de base. Pour réussir dans n'importe quel sport sur glace, il faut d'abord savoir patiner et s'entraîner rigoureusement pour y parvenir.

Confus, les joueurs regardent Mathieu sans comprendre où il veut en venir. Sylvain laisse alors tomber la bombe.

— Donc, si on revient, il va falloir que vous acceptiez de vous entraîner à notre manière. On va passer beaucoup de temps à patiner et moins à jouer juste au hockey. Puis, quand on va jouer, on va laisser de côté les tactiques des autres équipes. On va arrêter d'essayer de se battre contre les fiers-à-bras. On va se concentrer à patiner plus vite et mieux qu'eux.

Des clameurs de protestations s'élèvent dans le vestiaire. L'objection de Luc s'élève au-dessus du tumulte.

— On ne pourra jamais gagner si on fait ça!

Mais les frères restent fermes.

— C'est à prendre ou à laisser, dit Mathieu.

Le tohu-bohu se poursuit.

« J'ai hâte de voir ce qu'ils vont décider » songe monsieur Brisebois, fort amusé par le désarroi des Castors.

* * *

Un long serpent brun ondulant sur la patinoire. Voilà à quoi ressemble la file des joueurs de l'équipe des Castors qui patinent derrière Sylvain.

— De reculons maintenant! crie le chef de file.

Les lames de patins mordent la glace et le serpent s'inverse, se met à aller dans la direction opposée. Ainsi, sa queue, où se trouve Mathieu, devient la tête. L'exercice se poursuit encore pendant quelques minutes. L'entraîneur fait retentir son sifflet.

— On va sortir les cônes.

Les joueurs s'exécutent et, peu après, se mettent à se déplacer autour des cônes en manipulant une rondelle au bout de leur bâton. Une demi-heure plus tard, la séance d'entraînement se termine et les patineurs épuisés quittent la glace.

Dans le vestiaire, on sent une énergie nouvelle chez les Castors.

— C'est du travail, et j'ai mal aux chevilles et aux jambes, mais je me sens vraiment plus solide sur mes patins, s'exclame Christophe.

— Les Dragons et les autres équipes vont avoir de la difficulté à nous poigner sur la glace maintenant.

Ce dernier commentaire, venant de Robert, jeune défenseur, fait rire Sylvain.

— Minute, là, vous vous êtes améliorés, mais on a encore bien du chemin à faire, souligne-t-il.

— Finalement, on a bien fait d'accepter l'offre des Charette.

Cette fois, c'est Luc qui a parlé.

— Une autre séance ou deux d'entraînement, poursuit-il, et on sera tellement bons qu'on pourra se passer d'eux autres.

Mathieu empoigne le gant qu'il vient de retirer de sa main droite et le lance vers Luc. Le projectile atteint sa cible en plein front.

— Vous n'avez pas juste besoin de nous pour vous entraîner, affirme Mathieu. Pendant le match, vous allez voir que Sylvain et moi on sait autant compter des buts que patiner.

Des rires bruyants suivent cette vantardise. À la sortie du vestiaire, Sylvain et Mathieu décident d'accompagner quelques-uns des autres membres de l'équipe à la pizzeria. À l'entrée du centre sportif, le groupe croise des joueurs des Dragons. Chargés de leur sac d'équipement, ceux-ci vont dans le sens inverse. En reconnaissant les joueurs des Castors, l'un des Dragons laisse tomber :

— Hé! c'est la gang de patineurs artistiques.

Les Dragons se mettent à rire.

— On va vous faire faire des pirouettes sur la glace la semaine prochaine.

En entendant la remarque désobligeante, Sylvain se crispe les poings. Il voit Luc ouvrir la bouche pour rétorquer, mais lui fait signe. Ainsi, au prix d'un grand effort pour camoufler leur vive irritation, les Castors poursuivent leur chemin sans rien dire.

— Après les éliminatoires, même les filles voudront plus vous avoir, hurle encore un autre des Dragons.

Arrivé dehors, Sylvain avale de grandes lampées d'air pour se calmer. Pour la première fois depuis son retour avec les Castors, il a des doutes.

« On a regagné l'amitié des gars de l'équipe, songe-t-il. Mais si on se fait crémer la semaine prochaine, que vont-ils penser de nous? »

– 10 –

Garder son calme

Le rythme du battement des bâtons et des mains contre la bande tambourine dans les oreilles et le cœur de Sylvain. Les Dragons célèbrent bruyamment le but qu'ils viennent de compter. C'est maintenant l'égalité trois à trois.

Bien que découragés, les Castors ne doivent pas baisser les bras. Ils ont travaillé trop fort pour arriver jusque-là : le dernier match des éliminatoires du championnat de leur division. Cependant, cette partie finale se joue de façon très serrée.

— On va reprendre le dessus, dit Sylvain pour encourager ses coéquipiers.

Le match se poursuit, et les Dragons se sentent enhardis. Il reste à peine deux minutes à la troisième période. L'une des deux équipes doit donc marquer un but pour remporter le championnat. Sylvain réussit à enlever la rondelle à un rival. Il avance vers la ligne bleue de la zone adverse mais, tout à coup, sent un corps l'atteindre par derrière. Il tombe sur la glace.

Son coéquipier, Christophe, a récupéré le disque, mais il se fait frapper immédiatement après. Le Dragon qui a fait la rude mise en échec rit en s'éloignant avec la rondelle. Or, un autre Castor, Robert, lui bloque la route. Boum! La collision entre les deux joueurs produit un claquement sec.

— Je vais te casser la gueule! crie le joueur des Dragons qui se relève en même temps que Christophe.

Toutefois, le joueur des Castors ignore l'autre. Il patine vers la rondelle et le jeu continue dans l'autre zone. Quelques secondes après, le disque est immobilisé et il y a un arrêt. Christophe regagne le banc des Castors en même temps que Sylvain.

— Bravo, Christophe, le félicite Sylvain.

Ils passent devant le banc des Dragons.

— Des vraies lavettes!

Sylvain se maîtrise, refuse de réagir à l'insulte lancée par un des joueurs de l'équipe rivale. « Il faut garder notre concentration » se répète-t-il pour la centième fois depuis le début de la partie.

Le jeu reprend. Cette fois, un trio des Castors, dirigé par Luc, passe à l'attaque. Les trois Castors traversent la ligne bleue des Dragons. Luc envoie le disque vers

Robert. Or, même s'il n'a plus la rondelle, un Dragon vient plaquer Luc contre la bande. Le Castor se retourne, dévisage son agresseur un moment.

« Il va perdre son calme » pense Sylvain qui a vu la scène. Or, Luc fait une pirouette rapide et délaisse son adversaire. Entre-temps, Robert fait un tir au but. Toutefois, le gardien de but des Dragons fait l'arrêt.

Les deux équipes mettent l'accent sur l'offensive sans parvenir à marquer. Peu après, la sirène de la fin retentit. Tous et chacun retiennent leur souffle. Il faudra donc une période de prolongation pour décider du gagnant.

Pendant la courte pause, on sent la tension chez les Castors. Même s'ils ont bien patiné, ils n'ont pas pu éviter tous les coups de leurs adversaires. Ils ont mal, mais ils ne sont pas prêts à fléchir.

Ainsi, quand la prolongation commence, ils reprennent la glace avec une énergie nouvelle. Sylvain remarque tout de suite une différence. La fatigue gagne les Dragons qui patinent moins vite.

« Là, on va voir ce que l'endurance peut faire » pense le jeune Charette. En effet, dès la première minute de la prolongation, il fait une percée avec Christophe dans la zone des Dragons. Les deux Castors se relaient la rondelle rapidement autour des Dragons incapables de les rattraper. Sylvain réussit à se placer du côté droit du filet. Une feinte de Christophe attire le gardien de but du côté gauche. La seconde après, Christophe renvoie le disque à Sylvain. Ce dernier a le champ libre; le quart du but est complètement ouvert. Il raidit ses bras pour effectuer un lancer quand, soudainement, la lame d'un bâton sous son aisselle le tire par en arrière. Il perd l'équilibre et s'écrase contre la glace, la rondelle à ses pieds.

Le sifflet de l'arbitre retentit. Enragé, Sylvain se lève d'un bond comme poussé par un ressort. Il contemple son agresseur, celui qui l'a empêché de marquer le but gagnant. Sa colère lui ordonne de se ruer sur son adversaire et de lui faire payer son geste. L'arbitre indique une punition, deux minutes pour accrochage.

Rapidement, avant de changer d'idée, Sylvain s'éloigne. Son opposant, surpris de voir Sylvain se retirer, se laisse diriger par l'arbitre vers le banc de punition. Maintenant, les Castors vont pouvoir profiter d'un avantage numérique.

Après la mise au jeu, les Castors s'acharnent sans pitié sur leurs adversaires. Le disque circule allègrement dans tous les sens autour de la boîte défensive des Dragons. Le but des Dragons est bombardé de nombreux tirs. Finalement, un lancer du poignet rapide de Mathieu trouve son chemin jusqu'au fond du but.

Une explosion de joie fait sautiller les Castors qui se précipitent sur la glace en se félicitant. Après avoir serré la main de leurs opposants déçus, ils quittent la patinoire.

— Quel match!

Sylvain et Mathieu se tournent vers Karine qui leur offre ses félicitations.

— On n'a pas juste notre victoire à fêter! s'exclame Sylvain en remarquant le bras droit de Karine.

Karine agite son bras sans plâtre dans les airs.

— Oui, je suis bien contente de m'être débarrassée de ça.

Tout à coup, monsieur Brisebois s'approche. Il pose une main sur l'épaule de chacun des frères Charette.

— Vous avez bien joué, les gars. Est-ce que je pourrai compter sur vous la saison prochaine?

Sylvain dévisage nerveusement Karine.

— C'est moi qui compte sur toi l'automne prochain, Sylvain. T'as promis.

Sylvain se détourne des yeux de Karine. Comment lui dire? Son retour au hockey l'a bouleversé. Il se rend compte qu'il ne peut plus se passer du jeu.

— Karine, je veux continuer au hockey, alors ma promesse...

— C'est moi qui la remplirai.

Mathieu dévisage les trois autres avant de poursuivre :

— Si tu veux, Karine, je serai ton partenaire.

— Alors, tu ne reviendras pas avec l'équipe?

Monsieur Brisebois ne peut cacher sa déception. Mathieu fait signe que non.

— Je préfère le patinage artistique. J'ai le goût d'aller plus loin là-dedans, de faire de la compétition. Alors, qu'est-ce que t'en dis, Karine?

La jeune femme regarde Mathieu, puis pose de nouveau son regard sur Sylvain avant de dire :

— On a tous besoin de faire des choix pour aller au bout de nos passions.

Ensuite, un sourire fort éloquent se dessine sur ses lèvres.

— Alors, le monde du patinage artistique ne sera plus pareil, déclare Mathieu en riant.

— Ni celui du hockey, ajoute Sylvain.

– FIN –

Titres déjà parus dans cette collection

1 **Les mordus de la glace**

2 **Une tournée d'enfer**

À paraître

3 **Tous les œufs dans le même panier**

4 **Les planches à roulettes font la manchette**